Das große und das kleine NEIN!

Gisela Braun | Dorothee Wolters

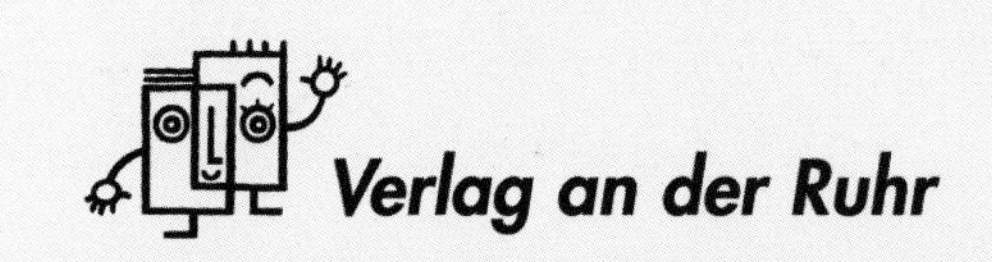

Das kleine NEIN sitzt auf einer Bank im Park und isst Schokolade.
Es ist wirklich sehr klein, richtig winzig und ganz leise.

Da kommt eine große, dicke Frau und fragt:
„Darf ich mich zu dir setzen?"
Das kleine NEIN flüstert: „Nein, ich möchte lieber allein sein."

Die große, dicke Frau hört gar nicht hin und setzt sich auf die Bank.

Da kommt ein Junge angerannt und fragt:
„Darf ich deine Schokolade haben?“
Das kleine NEIN flüstert wieder:
„Nein, ich möchte sie gern selbst essen.“

Aber der Junge hört nicht, nimmt dem kleinen NEIN
die Schokolade weg und beginnt, zu essen.

Da kommt ein Mann vorbei, den das kleine NEIN
schon oft im Park gesehen hat, und sagt:
„Hallo, Kleine. Du siehst nett aus, darf ich dir einen Kuss geben?"
Das kleine NEIN flüstert zum dritten Mal:
„Nein, ich will keinen Kuss."

Aber auch der Mann scheint nicht zu verstehen,
geht auf das kleine NEIN zu und macht schon einen Kussmund.

Nun verliert das kleine NEIN aber endgültig die Geduld.
Es steht auf, reckt sich in die Höhe und schreit aus vollem Hals:

NEIN!

„NEIIIN! Und noch mal: NEIN, NEIN, NEIN!“

„Ich will allein auf meiner Bank sitzen, …

… ich will meine Schokolade selbst essen, …

… ich will nicht geküsst werden. LASST MICH SOFORT IN RUHE!"

Die große, dicke Frau, der Junge und der Mann machen große Augen:
„Warum hast du das nicht gleich gesagt?“, und gehen ihrer Wege.

Und wer sitzt jetzt auf der Bank?

Ein großes NEIN! Es ist groß, stark und laut, und es denkt:
„So ist das also. Wenn man immer leise und schüchtern Nein sagt,
hören die Leute nicht hin. Man muss schon laut und deutlich Nein sagen."

So ist aus dem kleinen NEIN ein großes NEIN geworden.

Diese Seite bitte vorsichtig heraustrennen.

Liebe Erwachsene,

dieses Kinderbuch soll Spaß machen, und ich hoffe, das tut es. Es soll aber auch Mädchen und Jungen ermutigen, Gefühle und Bedürfnisse selbstbewusst zu vertreten, vor allem, wenn es um ihre körperliche Selbstbestimmung geht. Kinder erleben häufig, dass ihr kleines, aber ernst gemeintes NEIN nicht gehört wird, dass Erwachsene ihre Grenzen verletzen. Auch auf der körperlichen Ebene: Die Kleinen werden gestreichelt, geherzt und geküsst, ob sie es wollen oder nicht.

O ja, sie sagen oder zeigen schon, wenn ihnen das nicht gefällt, aber sie machen eben oft die Erfahrung, dass die Erwachsenen dies nicht wahrnehmen (wollen) oder sogar böse werden. Sie lernen, dass über ihren Körper verfügt wird, und trauen sich nicht, laut und deutlich NEIN zu sagen. Auch dann nicht, wenn aus Zärtlichkeiten ein sexueller Missbrauch wird, gerade dann nicht, wenn der Täter ein geliebter oder vertrauter Mensch ist.

Mädchen und Jungen benötigen also ganz besonders und tagtäglich die Ermutigung zur Abwehr bei jeder Art von Übergriffen, denn ein großes NEIN braucht viel Mut. Und wir Erwachsenen sollten vielleicht manchmal etwas mehr die Ohren spitzen, um das kleine NEIN nicht zu überhören.

Was können Kinder mit diesem Büchlein tun?

- Sie können es sich vorlesen lassen oder es selber lesen.
- Die Kinder überlegen sich Situationen, in denen sie auch einmal gern ganz laut NEIN gesagt hätten, sich aber nicht getraut haben. Diese Szenen spielen sie vor. Dabei darf das Kind auch einmal kleines und großes NEIN auf der Bank sein. Wie ist der Unterschied in der Stimmlage und in der Gestik von Händen, Füßen und Kopf?

Bestimmt fallen den Kindern weitere Situationen ein, in denen es schwer war, NEIN zu sagen. Sie können diese vorspielen und zusammen mit den anderen Kindern und/ oder mit der LehrerIn bzw. ErzieherIn Lösungsmöglichkeiten erarbeiten und spielen.

Wichtig!

Wenn Sie dieses Buch in Kindergarten und Grundschule einsetzen, verschweigen Sie nicht, dass auch ein noch so lautes NEIN manchmal nichts nützt, weil der andere größer oder stärker ist, weil er nicht hören will oder einem Angst macht. Sagen Sie sehr deutlich, dass dies nicht die Schuld des Kindes ist. Gehen Sie immer davon aus, dass auch in Ihrer Gruppe Mädchen und Jungen sind, die sexuell missbraucht werden. Sie sollen nicht das Gefühl haben, dass sie selbst verantwortlich sind, weil sie sich nicht genug gewehrt haben.

Ermutigen Sie die Mädchen und Jungen, sich Hilfe zu holen, einem Freund oder einer Freundin oder einer erwachsenen Vertrauensperson davon zu erzählen. Bereiten Sie sich darauf vor, dass ein Kind sich Ihnen anvertraut, denn Prävention hat auch immer aufdeckende Wirkung.